作繪者／**鈴木守**

一九五二年出生於日本東京。東京藝術大學肄業。
主要繪本作品有《公車來了》、《渡雪》、《向前看、向旁看、向後看》、
《有趣的動物圖鑑》、《赫爾辛家的太陽日記》、《時光飛吧》、
《大家以前都是小嬰兒》、《鳥巢》、《世界鳥巢》、《找到鳥巢了》、
《鳥巢研究筆記》、《我的鳥巢繪畫日記》等。
曾以《黑貓五郎》系列榮獲紅鳥插圖獎。

● 封面 ● 掃街車　● 封底 ● 鏟車
● 書名頁 ●家畜搬運車

看,車子在工作

文・圖／鈴木守　翻譯／陳昕

早（ㄗㄠˇ）上（ㄕㄤ˙）。

麵包店的貨車
載著熱騰騰的麵包來了。

巴士停靠在
公車站。
爸爸再見。

花店的貨車
從花市把花載來。

卡車載來一輛挖土機，
準備進行水管鋪設工程。

垃圾車來收垃圾了。
有吊臂的卡車，
把大型垃圾吊起來。

加油站裡， 油罐車載來了
滿滿的汽油。

宅急便送來包裹。
郵差先生來送信。

載滿孩子的巴士停下來。
老師再見。

加油站裡，
聯結車
來加油了。

公園裡
來了一輛行動圖書館。

灑水車沿路灑水。

郵ⁱᵒᵘ差ᶜʰᵃ來ˡᵃⁱ郵ⁱᵒᵘ筒ᵗᵒⁿᵍ收ˢʰᵒᵘ信ˣⁱⁿ。

註：日本的郵務車是紅色的，
　　台灣的郵務車是綠色的。

拖吊車拖吊違規的車子。
警車也一起來了。

賣ㄇㄞˋ番ㄈㄢ薯ㄕㄨˋ的ㄉㄜ小ㄒㄧㄠˇ貨ㄏㄨㄛˋ車ㄔㄜ
慢ㄇㄢˋ慢ㄇㄢˋ的ㄉㄜ開ㄎㄞ在ㄗㄞˋ路ㄌㄨˋ上ㄕㄤˋ。

送報員來送晚報了。

晚上，
商店全都關門了。
晚歸的爸爸搭計程車回來。

夜更深了。
大型聯結車將電車載走。

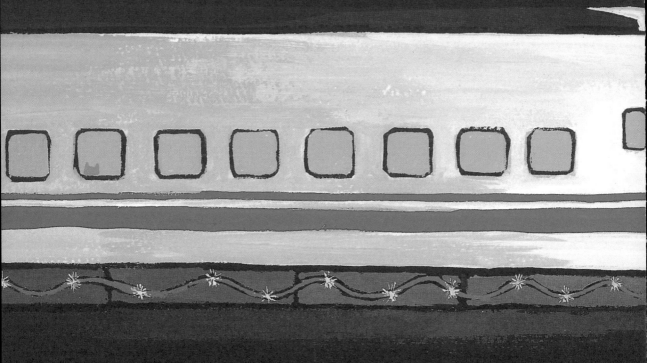

好ㄏㄠˇ多ㄉㄨㄛ好ㄏㄠˇ多ㄉㄨㄛ的ㄉㄜ車ㄔㄜ子ㄗ
來ㄌㄞˊ來ㄌㄞˊ又ㄧㄡˋ去ㄑㄩˋ去ㄑㄩˋ。

はたらく じどうしゃ

繪本 ・ 0308

看，車子在工作

文、圖｜鈴木守　翻譯｜陳昕

責任編輯｜黃雅妮、張佑旭　封面設計｜晴天　行銷企劃｜林思妤

天下雜誌創辦人｜殷允芃　董事長兼執行長｜何琦瑜

兒童產品事業群　副總經理｜林彥傑　總編輯｜林欣靜　主編｜陳毓書　版權主任｜何晨瑋、黃微真

出版者｜親子天下股份有限公司　地址｜台北市 104 建國北路一段 96 號 4 樓　電話｜（02）2509-2800　傳真｜（02）2509-2462

網址｜ www.parenting.com.tw　讀者服務專線｜（02）2662-0332　週一～週五：09:00~17:30

讀者服務傳真｜（02）2662-6048　客服信箱｜ parenting@cw.com.tw

法律顧問｜台英國際商務法律事務所・羅明通律師

製版印刷｜中原造像股份有限公司　總經銷｜大和圖書有限公司 電話（02）8990-2588

出版日期｜ 2012 年 5 月第一版第一次印行
　　　　　2022 年 11 月第二版第一次印行

定價 280 元　書號 BKKP0308P　ISBN　978-626-305-325-0（精裝）

訂購服務

親子天下 Shopping ｜ shopping.parenting.com.tw

海外・大量訂購｜ parenting@cw.com.tw

書香花園｜台北市建國北路二段 6 巷 11 號　電話（02）2506-1635

劃撥帳號｜ 50331356　親子天下股份有限公司

立即購買 >

國家圖書館出版品預行編目（CIP）資料

看,車子在工作/鈴木守文.圖；陳昕翻譯.--
第二版.--臺北市：親子天下股份有限公司,
2022.11
40 面；15x17.7 公分.--（繪本；308）
注音版
譯自：はたらくじどうしゃ
ISBN 978-626-305-325-0（精裝）
1.SHTB: 認知發展 --3-6 歲幼兒讀物

861.599.　　　　　　　　　　111014463